KB096531

너와 함께한 사계 '봄'

너와 함께한 사계 '봄'

발　행 | 2023년 12월 21일
저　자 | 최재혁
펴낸이 | 한건희
펴낸곳 | 주식회사 부크크
출판사등록 | 2014.07.15.(제2014-16호)
주　소 | 서울특별시 금천구 가산디지털1로 119 SK트윈타워 A동 305호
전　화 | 1670-8316
이메일 | info@bookk.co.kr

ISBN | 979-11-410-6160-9

www.bookk.co.kr
ⓒ **최재혁 2023**

너와 함께한 사계

'봄'

CONTENT

머리말

이 책을 읽는 분들에게

이 책의 저자 최재혁입니다.

우연히 학교 동아리에서 책 쓰는 활동을 통해 이 책을 써 봤습니다. 부족한 면이 있더라도 눈감고 이해해주시길 부탁드립니다.

'너와 함께한 사계절'은 총 4편으로 구성될 예정입니다.

현재 여러분들이 읽고 계신 책은 1편인 '봄'편이며 '여름', '가을', '겨울'편으로 계속해서 연재될 예정입니다.

그러나 아직 학생이기 때문에 계속해서 연재될 가능성이 그리 높지 않습니다. 혹시라도 시간이 나면 2편 '여름'이라도 완성 시켜보겠습니다.

여러분들이 이 책을 읽고 얼마나 공감하고 재미를 느끼실지 모르지만. 그래도 제 나름대로 머리를 쥐어 짜내가며 만든 책이니 이야기가 지루하다거나 오글거려도 양해 부탁드립니다.

프롤로그

어느 화창한 봄날
기분 나쁜 알람 소리가 나를 깨웠다.
'따리리링! 따리리링!'
"아... 뭐야"
나는 반쯤 뜬눈으로 휴대폰 시계를 봤다. 8시였다. 순
간 내 눈을 의심했다.
"응?"
등교 시간까지 10분 남았다.
"망했다!"
새 학기 첫날부터 지각하게 생겼다. 새벽까지 친구들
과 게임 하느라 늦잠을 자버린 것이다.
"서준호 미친놈아!!!"
나는 괴성을 지르며 화장실로 달려가 대충 씻고 가방
을 챙겨서 나갔다.
'안 뛰면 지각이다!'
나는 집에서 뛰쳐나와 학교로 달려갔다. 외롭게 뛰어

가던 와중에 학교 앞 신호등에서 6년 지기 친구 민규를 만났다.

"야, 김민규!"

"뭐야 너도 늦잠 잤냐?"

민규가 비웃듯이 말했다.

"너랑 우진이 때문에 늦었잖아."

투덜대듯이 내가 말했다.

"참나 그러게 내가 피곤하면 먼저 가라 했잖아."

"1등 할 때까지 못 끝낸다던 사람이 누군데."

"그래도 1등 했잖아."

민규의 팩트폭력에 내가 애써 웃으며 말했다.

"20판 동안 1등 못 한 애는 처음 봤다."

민규가 혀를 차면서 나에게 말했다.

신호등이 바뀌자마자 나와 민규는 바로 뛰어갔다. 우여 곡절 끝에 학교에 도착했다.

1학년 교실을 찾아가면서 내가 말했다.

"몇 반이라고 했지?"

"4반, 어제 말했잖아. 몇 번을 물어보는 거야."

"1분 남았어. 빨리 가기나 해."

민규는 툴툴거리면서도 남을 잘 챙겨준다.

흔한 츤데레의 모습이지만 나름대로 매력 있다고 생각한다. 가끔은 귀엽기도 하다. 게이 아니다.

"야! 뭐해 등교 시간 다 되가는데 교실 안 들어가?"

무섭게 생긴 선생님이 소리쳤다. 나는 바로 교실까지 뛰어갔다. 휴대폰 시계를 보면서 뛰어가다 걸어가던 여자애와 부딪쳤다.

"아...미안"

내가 당황한 목소리로 사과했다.

"뭐야...? 존나 재수없어"

그 애는 나를 내려다보는 눈빛으로 말했다. 나는 멍하게 신발을 갈아 신으며 생각했다.

'초면부터 욕을 해? 괜찮다고 말이라도 해야 하는 거 아니야?'

라고 대다수가 생각하겠지만, 나는 그런 생각조차 들지 않았다. 왜냐하면 내가 지금까지 봤던 사람 중에 가장 예뻤기 때문이다! 남중을 나온 나로서는 신세계나 다름없었다. 공학을 절대 가지 말라는 부모님의 거센 반발을 뿌리치고 공학에 온 이유가 있었다. 물론 여기 이진 고등학교가 내신이 쉬워서 수시로 대학 가기 좋아서 온다니 뭐니 하면서 부모님을 잘 설득했다.

그러나 지금은 공부가 아닌 그녀 생각밖에 없었다.

chapter 1
-새 학기 -

"자 학교생활 즐겁게 보내고 좋은 추억 많이 쌓고 가길 바란다."

담임선생님의 말씀이 끝나고 쉬는 시간이 됐다. 마침 우진이랑 같은 반이 돼서 우진이에게 갔다. 나는 오늘 아침에 있었던 일을 이야기했다.

"취향하고는... 걔 한테 말이나 걸 수 있겠냐?"

우진이가 한심하게 이야기했다.

"아니 취향이 문제가 아니라 어쨌든 쟤 완전 예쁜데."

"어짜피 같은 반인데 언젠가는 친해지지 않을까?"

내가 여자를 처음 본거 마냥 이야기했다.

"그래그래 어떻게든 잘 해보세요."

우진이가 한 번 더 한심하게 말했다.

"나중에 부러워하지나 마세요."

내가 맞받아쳤다.

1교시 시작종이 울렸고 담임선생님이 들어오셨다.

"자 아침시간에는 선생님에 대한 소개를 했으니까 이번 시간에는 간단하게 한명씩 자기소개를 해보자."

시간이 얼마 되지 않아 그녀의 차례가 왔다.

"안녕, 난 명신중학교에서 왔고 이름은 남예지야. 잘 부탁해."

예지는 짤막한 인사와 함께 박수를 받으며 자기 자리로 돌아갔다. 행동 하나하나가 전부 예뻐 보였다.

'다소곳하고 점잔아 보이는데 나한테는 왜 그런 거지?'

나는 잠깐 생각하다가 그만뒀다.

어느새 내 차례가 왔다. 나는 다른 친구들과 다르게 소개를 길게 했다. 이렇게 하면 요즘 흔히 말하는 '인싸'가 될 줄 알았다. 하지만 지금 돌이켜보니 tmi들이 너무 많았다.

"안녕, 난 사성중학교에서 온 서준호 라고 해. 게임 하는 거랑 야구 보는 걸 좋아해. 게임은 '배틀그라운드'랑 '로스트아크'를 즐겨하고 있어. 혹시 하는 친구들이 있으면 같이 하면서 친해지자. 응원하고 있는 야구팀은 'LG 트윈스'야. 그리고 좋아하는 아이돌은 ITZY(있지)이고 그중에서 유나를 제일 좋아해." 등

사실 이거 보다 더 많이 얘기 했는데 돌이켜 보니까 너무 없어 보였다. 그냥 남들처럼 짧게 하고 갈걸

그렇게 자기소개 시간이 끝나고 쉬는 시간이 왔다.

나랑 우진이는 4반으로 찾아가 민규를 만났다

"야 얘 벌써 좋아하는 애 생겼어."

우진이가 웃으면서 말했다.

"하긴 쟤 원래부터 금사빠(금방 사랑에 빠지는 사람) 였잖아."

"쟤 마지막 여자 연락이 초등학생 때잖아."

민규가 크게 웃으면서 말했다. 거의 폭소 수준이었다.

"어이, 나 뒷담할 얘기가 많나본데 나중에 그건 나중에 하시고요."

내가 실증내면서 말했다.

"아 네네 알겠습니다.~"

민규가 비웃으면서 말했다.

"근데 너 걔랑 말은 할 수 있겠냐?"

민규가 물었다.

"아까 이우진도 그렇게 말했는데 너네 둘 마인드도 같고 수준도 같다. 그냥"

"선 넘지마."

우진이가 말했다.

"아니 내가 이우진 보다는 낫지."

민규가 약간 커진 목소리로 말했다.

"아니 근데 다른 학교는 단축 수업하는데 왜 우리 학교만 정규 수업이냐."

내가 화제를 돌렸다.

"서준호 쟤는 지가 불 지피고 다른 얘기로 돌린다니까."

우진이가 어이없다는 듯 말했다.

"아니 그러니까 나도 그 얘기 하려고 했어. 이게 이진고 수준인가."

민규가 내 말에 맞장구 쳤다.

"답 없어 그냥 내신만 잘 따고 빨리 대학가고 싶다."

내가 한숨 쉬면서 말했다.

"연애하고 싶어서 온 거 아니고?"

민규가 장난스럽게 말했다.

"사실 맞긴해."

내가 웃으면서 말했다.

그리고 2교시 시작 종소리가 울렸다. 나와 우진이는 반으로 돌아갔다.

2교시는 국어 수업이었다. 첫날은 오리엔테이션만 하고 간단하게 마쳤다. 역시 젊은 선생님들은 첫날에는 거의 수업을 안 하신다. 덕분에 2교시를 금방 보냈지만 3교시와 4교시는 거의 50분 동안 수업을 다 했다.

중학교 때 고등학교 가면 수업 시간 5분 늘어난다는 말을 들었을 때 해봐야 5분이지 라는 생각을 했는데 5분이 1시간처럼 느껴졌다.

드디어 점심시간이 찾아왔다. 급식마저 맛없었으면 학교에서 대규모 시위가 벌어졌을지도 모른다.

점심을 먹고 우진이랑 다시 4반으로 가서 민규랑 이야기했다. 그렇게 한참 동안 자기 반 애들 이야기를 하다가 민규가 예지를 한번 만 보고 싶다고 해서 우리 반으로 데리고 갔다. 민규가 티 안 나게 멀리서 봤다.

"아니, 야 쟤는 누가 봐도 남자친구 있을 거 같은데."

민규가 말했다.

"그럴 거 같지만 혹시 모르잖아."

내가 말했다.

"말 한번 잘못 걸었다가 걔 남친 있으면 괜히 상황이 상해지고 너 걔랑 오랫동안 어색한 사이 될 수도 있어."

우진이가 진지하게 말했다.

"오, 이우진 이 정도로 진지한 태도 완전 오랜만인데."

내가 눈을 크게 뜨고 말했다.

"우리끼리 얘기 한다고 달라지는 건 없으니까 너가 먼저 말 걸어봐. 나 애들이랑 게임 하기로 해서 먼저 가볼게."

"민규는 벌써 친구 많이 사귀었나보네."

내가 부러운 듯이 말했다.

"걘 인싸니까. 너랑 다르게."

우진이가 말했다.

"넌 나랑 말할 때 항상 시비 거는 톤으로 말하더라."

내가 툴툴거렸다.

"아까 전에는 안 그랬는데."

우진이가 장난스럽게 말했다.

"또 지랄이다."

내가 한숨 쉬면서 말했다.

그렇게 7교시까지 모든 수업이 끝나고 하교 준비를 했다. 그때 예지가 친구랑 이야기 하는걸 우연히 들었다.

"집 가서 배그 (게임 '배틀그라운드'의 준말.) 좀 하다가 세븐틴 덕질 하고 학원 갈려고."

내가 잘못 들었나? 분명히 배그를 한다고 했다. 이참에 친해질 기회가 왔을 때 확실히 잡아야겠다고 생각했다. 그때 선생님이 들어오셔서 바로 자리에 앉았다.

'아 왜 이제 들어오는데.'

내가 속으로 한탄을 했다.

우진이랑 민규랑 학교를 빠져나가고 있을 때 예지가 보였다.

내가 홀린 듯 예지 쪽으로 향하자 그 둘은 벌써 눈치를 채고 조용히 있었다.

"혹시 배그 해? 하교 할 때 얘기 들어서."

내가 말했다.

"어 하는데? 아 맞다 너 자기 소개 할 때 한다고 했지?"

"어 맞아. 혹시..."

내가 바보같이 머뭇거렸다.

"아이디 줄게."

예지가 말했다.

"고마워 집에 가서 친구 추가 할게. 내 아이디는 이거야."

내가 폰에 저장해 놓은 내 아이디를 보여줬다. 집 가는 길이 달라서 예지가 먼저 갔다. 그렇게 아이디 교환에 성공했다. 아니 무슨 전화번호도 아니고 게임 아이디를 교환해 버렸다. 이 세상에 나 밖에 없을 거다.

이 책을 읽고 있는 당신도 이걸 쓰고 있는 나도 황당하기에 짝이 없다. 어쨌든 친해질 계기가 생겼으니 나로 써는 만족했다. 다시 민규랑 우진이 쪽으로 돌아갔다. 내가 게임 아이디 교환에 성공 했다 하니 그 둘은 약긴 실망한 듯 보였으니 그래도 말은 걸었네 라며 칭찬 아닌 칭찬을 했다. 이제 학교 첫날이다. 그리고 내 봄은 시작할 준비를 하고 있었다.

Chapter 2
-뉴진스의 하입보이요-

　오늘도 기분 나쁜 알람 소리와 함께 일어났다. 사실 어제 예지와 게임 아이디를 교환해 너무 설레서 잠도 잘 못 잤다. 누가 보면 고백이라도 받아줬는 줄 알겠다. 나는 얼른 씻고 갈 준비를 했다. 오늘은 민규가 내 집 앞에 와있었다.

　"어, 웬일로 네가 여기까지 왔냐."

　"그냥 웃겨서"

　민규가 말했다.

　"어제 나한테 예지인가 뭔가 하는 걔랑 게임 아이디 하나 교환 했다고 우리 단톡방에서 발광을 하길래."

　"뭐 그럴 수도 있지. 그거 예지 앞에서 절대 말하지마."

　내가 말했다.

　"그래 내가 이해해줄게 모쏠 준호씨."

　"지랄, 빨리 가자 또 늦겠다."

　나와 민규는 빠른 걸음으로 학교까지 갔다. 늘 그렇듯 복도에서 헤어졌다. 나와 민규는 초등학교에서 처음 만나 지금까지 친하게 지낸다. 6년 동안 알고 지내면서 단 한번 같은 반이 돼서 이제 복도에서 헤어지는 일은 당연하게 생각한다. 그래도 다른 중학교를 나왔지만 나랑 아직까지 친하게 지내줘서 늘 고맙게 생각한다. 반에 도착하니 나 빼고 전부 다 와 있었다. 아직까지 우리 반은 아주 아주 조용하다. 하긴 이제 2일째니까 애들이 입을 잘 떼지 못하는 거 같다. 민규네 반은 벌써부터 씨끌 벅적 하다고 하는데 내 mbti가 I라서 그런지 그것보다는 조용한 분위기가 낫다. 정말 지루했던 4교시까지 끝나고 점심시간이 됐다. 우진이랑 내 뒷자리에 앉은 남자애 얘기를 했다.

"야 내 뒷자리에 앉은 애 완전 잘생겼던데. 키도 크고."

"그러게. 누구랑은 다르게."

"아니 야. 내가 못생긴 편은 아니잖아?"

"맞는데."

내가 아무 말도 하지 않았다.

"아 알겠어. 솔직하게 말하면 못생긴 편은 아니야. 그냥 평타 정도."

"그래?"

"어휴 또 이런 말하면 지가 잘난 줄 알아요."

"뭐, 어때? 난 나일 때 완벽하니까."

"뭐야 왜 이래."

우진이가 인상을 찌푸리며 말했다.

"ITZY(있지)의 WANNABE 가사거든."

"언제 적 있지야. 난 뉴진스가 제일 좋더라."

"내가 좋아서 그러는 건데 뭐."

"저기요 홍대 가려면 어디로 가야 돼요?"

갑자기 내가 물었다.

"뉴진스의 'Hype boy'요. Cause I know what you like boy You're my chemical hype boy."

우진이가 'Hype boy'를 부르며 춤을 췄다. 그때 한 여자애가 놀란 듯이 말했다.

"너 설마 인스타 릴스에 나온 걔 맞아?"

"맞아. 로데오 거리에서 찍은 영상 말하는 거지?"

"어 맞아. 대박이다. 이제 알아봤어."

"아니야 알아 봐주는 게 더 고마운데."

작년에 우진이는 인스타그램에서 Hype boy 챌린지로 꽤 유명해졌다. 그 영상을 내가 찍어줬다. 난 찍을 때 웃음을 참느라 고생했는데 생각보다 반응이 좋았다.

지금 들어가 보니 벌써 250만 번 재생했다고 나온다.

그렇게 점심을 먹고 7교시까지 끝나고 하교 준비를 했다.

"나 오늘부터 오후 자습 하니까 김민규랑 먼저가."

우진이가 말했다.

"오케이 나 먼저 간다. 수고하고."

"오늘은 남예지랑 얘기 안 하냐? 어제 톡방에서 아주

지랄을 하더만 막상 오니까 말 못하는 거 봐라."

우진이가 장난스럽게 이야기했다.

"할 거거든."

내가 퉁명스럽게 말했다.

"할 거거둥."

우진이가 내 말투를 따라했다.

신발장으로 나가니 예지가 보였다. 마침 내 신발장 근처에 있어서 얘기하기 좋았다.

"혹시 오늘 시간 되면 게임 같이 할래?"

내가 먼저 말했다.

"음, 오늘 밤 늦게 될 거 같은데."

예지가 잠깐 고민하다가 말했다.

"괜찮아 상관없어."

"그래 그러면 11시쯤에 하자."

"좋아, 아 혹시 전화번호 좀 알려줄 수 있어? 내가 만약 일 생기면 연락하게."

"알았어."

예지가 나한테 휴대폰을 건넸다. 나는 바로 저장하고 전화를 걸었다.

"저장할게. 이름 서준호 맞지?"

"어 맞아. 이름 기억해 줘서 고마워."

"내 이름은 알아?"

"당연히 알고 있지."

"당연히?"

"아, 아니야 전화번호 줘서 고마워. 오늘 11시에 보자."

내가 황급히 인사를 했다. 나는 자연스럽게 전화번호까지 교환한 내 자신이 자랑스러워 하교하는 내내 생각했다. 덕분에 민규랑 같이 가는 걸 완전히 잊어버리고 곧장 집으로 가버려서 민규에게 욕을 한 바가지로 먹었다. 집에 잠시 들러서 학원 과제를 챙겨서 학원에 갔다. 학원에서 예지랑 게임 할 생각만 해서 3시간을 그냥 흘려 보내버렸다.

드디어 집에 왔다. 샤워하고 유튜브를 보다 보니 11시가 가까워졌다.

나는 얼른 컴퓨터를 켜서 바로 게임에 접속했다. 예지가 접속을 하고 있지 않아서 문자를 보내려고 할 참에 예지가 접속했다. 온라인 표시가 뜨자마자 마하 1의 속도로 초대를 보냈다. 그렇게 초등학교 이후로 처음으로 여자랑 게임을 했다. 처음엔 어색해서 게임 마이크를 키지 않았지만 몇 분 뒤에 내가 먼저 켰다.

"어디 갈까?(지은이의 말: '배틀그라운드'는 비행기에서 뛰어내리면서 게임이 시작한다. 이때 플레이어는 어떤 장소를 갈지 미리 대기실에서 정해야 한다).

"여기 가자."

"오케이. 너 옷 예쁘다. 언제 산 거야? 이런 옷 못 봤는데."

"몇 년 전에 샀어. 17000원 주고."

"생각보다 비싸네."

게임 상이었지만 아직은 어색했다.

"여기 SKS(지정 사수 소총) 하나랑 보정기 남아."

"먹으러 갈게."

"어 저기 사람 보인다. N 방향. 하나 기절."

"쟤 살리고 있으니까 바로 푸쉬하자."

"수류탄 던질게. 맞은 거 같은데?"

"위로 돌게. 너 거기서 적들 봐줘."

"알았어."

예지가 크게 돌아서 자리를 잡고 적 두 명을 순식간에 처치했다.

"나이스!"

내가 크게 환호했다.

"여기 힐템 많다."

예지가 아랑곳 않고 말했다. 처음 같이 해보지만 케미가 잘 맞았다.

"하나 기절."

그때 내가 적이 쏜 총알에 머리를 맞고 기절했다.

"우리 옆에 또 있다. 이거 양각이야. 연막탄 피고 천천히 해."

예지가 말없이 내 말대로 했다. 그리고 나를 소생 시키고 곧장 연막 밖으로 나와 적 한명을 기절시켰다.

"나이스"

예지는 한참 동안 적들 근처를 쏘다가 그제서야 입을 뗐다.

"쟤네 빠졌어. 원래 우리랑 싸우던 애들은 이미 죽었고."

그렇게 우리는 차분하게 게임을 풀어가며 어느새 우리를 포함한 4명밖에 남지 않았다.

"라스트, 보인다! 나무 뒤. 화염병 던질게."

적은 내가 던진 화염병에 기절했고 그의 팀원이 옆에 있는 나무에서 튀어나와 나를 쐈다. 그때 예지가 빠른 반응속도로 나머지 한 명을 처치했다. 1등을 했다.

그것도 첫판 만에. 예지는 상당히 게임을 잘하는 거 같다. 실제로 총을 쏘는 것처럼 완전 집중해서 게임을 했다. 우리는 계속해서 게임을 했고 2시간쯤 지나서야 어색한 관계가 허물어져 갔다.

"오늘 재밌었어."

예지가 말했다.

"나도, 다음에도 한 번 더 하자."

"응 그래."

컴퓨터를 끄고 침대에 누웠다. 평소대로 잠은 오지 않았지만 기분은 좋았다. (여자랑 게임 몇 판 한 거 가지고 뭘

호들갑을 떠냐고 할 거 같은데 나한테는 소중한 추억이다.)

휴대폰을 보니 알람이 많이 와 있었다.

인스타그램 단톡방에서 친구들이 많이 떠들었나 보다.

민규가 내 얘기를 퍼뜨려서 애들이 몹시 흥분했다. 나같은 모쏠이 여자랑 게임 했다고. 내가 읽었다는 표시 때문에 환영 인사를 받았다.

-예준 드디어 읽었네 이거.

-동규 뭐야 이제 끝남?

-민규 생각한 거 보다 꽤 오래했다. ㅋㅋㅋㅋ

-우진 잘 하고 왔냐.

-뭐 그럭저럭

-예준 17년 모쏠 한테 이제 기회가 오는 구나 ㅋㅋㅋ

-모쏠 아니라니까.

-승주 초등학교 때 연애는 연애가 아니야 준호야.

-우진 맞긴해.

- 민규 아니 뭐야 전적 보니까 첫 판부터 1등 했네?

-ㅇㅇ 걔 게임 잘하더라고

-민규 담에 나도 끼워줘 너랑 듀오는 도저히 못하겠어서.

-우진 나도

-예준 나도

-승주 나도

-동규 나도 좀 ㅅㅂ 나만 남고야

-승주 남고를 간 버러지가 있다? ㅋㅋㅋ

-우진 그러게 누가 남중 남고 나오래

-민규 점마 학원도 안 다녀서 여자 못 본지 존나 오래 됐을 듯 ㅋㅋㅋ

-동규 그만해 벌써 한 달 째야. 언제 까지 우려먹을거야.

-승주 너 졸업 할 때 까지.

-ㅋㅋㅋㅋㅋ

-예준 ㅋㅋㅋㅋㅋㅋㅋ

-동규 나 자러감 ㅅㄱ

-민규 야 쟤 또 삐졌다 ㅋㅋㅋ

-예준 울 동규 삐졌어요?

-동규 진짜 자러감

그렇게 한참을 떠들다 나도 자러 갔다. 아주 특별하고 소중한 하루였다.

chapter 3
-새로운 친구들-

오늘도 아침 늦게 일어났다. 이젠 익숙해져서 평소보다 2분 빨리 집에서 나왔다. 학교 근처 횡단보도에서 우진이를 만났다. 에어팟을 끼고 있어서 어깨를 툭 쳤다.

"오늘 왜 이렇게 늦게 나왔데?"

"아 나도 너처럼 늦잠 자버려서."

"난 오늘 늦잠 아닌데. 오늘 원래 일어나는 시간보다 좀 더 빨리 깬 거야."

"네네, 늦잠 아니라서 참 좋으시겠어요~"

"너는 그 말투 좀 고치면 안 되냐."

"응. 안 돼."

"야. 같이 좀 가. 지금 가도 안 늦어. 충분히 간다고!"

내가 뒤따라 뛰어갔다. 어느새 교실까지 왔다.

"봐봐. 안 늦었지?"

"빨리 들어가기나 하자. 우리 담임 지각하면 폰 뺏어가잖아."

"하긴 폰 압수는 좀 심한 거 같긴 해."

반에 들어가자마자 예지 자리를 확인했다. 친구랑 얘기를 하고 있었다. 웃는 모습이 너무 예쁘고 사랑스러웠다. 나도 모르게 미소가 나왔다.

그때 옆에 서 있던 우진이가 머리를 치면서 고개를 저으며 자리로 갔다.

아침 종례가 끝나고 우진이 자리로 갔다.

"야 오늘 시간표 뭐냐?"

우진이가 내가 오자마자 물었다.

"사회 수학 영어..."

"와 오늘 레전드네."

"극혐이긴 하다. 이거 누가 만든 거야. 진짜로"

그때 예지가 사물함을 열려 우리 근처로 왔다.

"야, 뭐해? 인사 안 해?

우진이가 내 어깨를 툭 치며 말했다.

"아... 음..."

내가 바보같이 망설였다.

"아, 답답한 새끼."

"어, 안녕. 어제 재밌었어."

"아, 그래. 나도 재밌었어."

예지가 교과서를 챙기고 자리로 돌아가 버렸다.

"뭐냐, 어제 얘기 좀 했다 했잖아."

우진이가 한심하다는 표정으로 쳐다봤다.

"아, 그게 얼굴 마주 보니까 좀 힘드네..."

"그러니까 17년째 여자가 없지."

"내가 완전 내향형이라서 그래. 한번 말만 트이면 완전 말 잘하는데."

"그러면 대화하기 학원이나 다니세요."

"그럴까... 그런 학원이 어디 있어. 새끼야."

종소리와 함께 다시 자리로 돌아갔다.

"윤리적 관점은 인간의 행위가 도덕적 차원에서 인정받기 위한 기준을..."

지루하기 짝이 없는 사회시간이다. 그것도 1교시라 졸음이 몰려온다. 이미 엎드려서 자거나 꾸벅꾸벅 졸고 있는 애들도 많았다. 그 중 한명이 예지였다 .그래도 아예 엎드려서 자지는 않고 앉아서 졸고 있었다. 그 모습도 무척 귀여웠다.

그때보다 못한 사회 선생님이 애들 전부를 깨우기 시작했다. 2~3분쯤 지나서야 전부 일어났다. 그리고 또 지루한 수업을 계속했고 2시간 같았던 20분이 끝이 났다.

쉬는 시간 종이 치자마자 절반이 다시 엎드려 잤다.

예지도 다음 시간 책을 꺼내고 팔베게를 하고 자기 시작했다. 우진이는 자지 않고 폰을 보고 있었다. 내가 슬그머니 다가갔다.

"와 애들 반이 엎어졌어."

"사회 수업 이제 2시간인데 벌써 저 꼴 나는 거 보면 이 번 년도 사회는 망했네."

"난 첫 수업부터 뭔가 이상했어. 오리엔테이션도 없이 이 름만 알려주고 수업 바로 시작 하는 게 뭐냐고."

내가 어이없다는 듯이 말했다.

"질문 할 거 있으면 하라했는데 본인이랑 나이 차이가 별 로 없거나 아니면 좀 재밌게 해서 애들 이끌어야 되는데..."

"너 진짜 사람 하나 끼는 건 정말 잘해."

내가 감탄했다.

"인정할게."

그렇게 수학, 영어, 국어까지 졸음과의 전쟁을 끝내고 기다렸던 점심시간이 되었다.

"드디어 끝났네."

내가 홀가분하게 말했다.

"아직 멀었어. 5교시 과학이다."

"아, 식곤증 오지게 오는데 과학? 진짜 시간표 과학이다. 과학."

그렇게 또다시 시간표를 욕하던 와중에 다시 예지랑 예지 친구처럼 보이는 애들이 왔다. 내가 기다렸다는 듯이 먼저 말을 걸었다.

"아, 혹시 오늘 시간 돼?"

"오늘 학원 있어서."

"아... 무슨 학원인데?"

"미술."

"아, 맞다 미대 간다고 했지."

"안녕, 네가 어제 예지랑 같이 게임 했다는 걔 맞지?"

갑자기 예지 옆에 있던 애가 말을 걸었다.

"어, 맞아."

"난 이지수. 예지 친구야."

"신채영이라고 해. 반가워."

그 옆에 있던 애도 인사를 했다.

"난 서준호 친구."

우진이가 자기 명찰을 가리키며 말했다.

"얘 남중 나와서 여자랑 말 잘 못하거든 이해 좀 해주자."

"아, 그래? 어디 나왔다고 했더라?"

채영이가 물었다.

"사성중 나왔어."

"아, 거기 이창빈도 사성중 아니었나?"

"맞아."

지수가 옆에서 끄덕였다.

"아, 창빈이. 1학년 때 같은 반 된 적 있어."

"우리 둘이 걔랑 같은 학원 다녀서 알아. 사성중 서울에서 빡센 중학교 중 하나라고."

"맞아, 내신이고 두발 규정에다가 교복 검사도 너무 빡세게 해. 지금은 좀 나아졌다고는 하더라고."

"남예지, 얘기 좀 해.서준호 너도 예지한테 말 거는게 왜 이렇게 어색해. 어제 둘이 같이 게임 한 사이 맞아?"

채영이가 목소리를 높이며 말했다.

"서준호 혹시 MBTI뭐야?"

지수가 갑자기 물어봤다.

"ISFJ"

"왠지 I일 것 같더라."

지수가 말했다.

"예지도 INTJ거든."

"I들의 대화라,,,들어도 숨 막히네."

우진이가 한숨 쉬면서 말했다.

"곧 밥먹을 시간 인데 같이 먹자."

채영이가 말했다.

"좋지."

우진이가 바로 대답했다.

급식실로 걸어가면서 우진이가 작게 말을 걸었다.

"남예지랑 얘기 좀 해봐. 존나 답답해."

"알았어, 밥 먹으면서 해볼게."

내가 우진이를 밀치면서 말했다.

"음, 갈비찜 되게 맛있다."

채영이가 허겁지겁 먹으면서 말했다.

"좀 더 먹어."

지수가 자기 식판에 있던 갈비를 나눠줬다.

"고마워, 너밖에 없어."

"요즘 살 뺀다고 너무 끼니 거리지마. 지금도 충분해."

"다이어트해?"

내가 놀래서 물었다. 남들이 봐도 충분히 말랐는데 여기서 더 뺀다는 말인가.

"응, 아침은 안 먹고 점심만 이렇게 먹고 저녁도 야채 위주로 먹어."

"무슨 아이돌 할 것도 아니고 살을 그렇게나 빼. 지금도 저체중 나올 거 같은데."

우진이가 말했다.

"그래, 그런 식단은 하지 말고 일단 오늘은 많이 먹어."

"알았어, 고마워 생각해줘서."

채영이가 말했다.

"이번에 패치 노트 봤어? 베릴 (폴란드 산 돌격 소총) 너프 (성능을 기존보다 약화시키는 것. 지은이의말) 돼던데."

내가 예지를 보면서 이야기했다,

"아, 그래? 베릴 자주 쓰는데.."

"어제 쓰는 거 봤어 완전 잘 쏘더라. 난 반동 때문에 못 쓰겠어서."

"할 얘기가 게임 밖에 없냐."

지수가 말했다.

"아 맞다. 어제 야구 좋아한다 했었지?"

내가 예지에게 물었다.

"완전 좋아하는 건 아닌데 가끔씩 봐."

"어느 팀 응원해?"

"엘지"

"나도 엘지인데!"

"나도."

옆에 있던 지수가 웃으며 말했다.

"난 기아."

채영이가 말했다.

"기아 이번 시즌에도 가을야구는 갈 거 같아."

채영이가 자신있게 말했다.

"안될거 같은데."

내가 말했다.

"할 수 있다니까. 작년에 5등 했는데 이번에도 될거 같아."

채영이가 말했다.

"이우진 너도 야구 좀 보잖아."

내가 우진을 툭 치며 말했다.

"축구 더 많이 보긴 하는데. 키움 응원해."

"키움은 이정후 말고는 뭐 있나?"

채영이가 살짝 비웃으며 말했다.

"김혜성이랑 안우진도 있고 많거든."

우진이가 퉁명스럽게 대답했다.

"아, 일단 다음 시간에 좀 자고 6교시부터 수업 좀 들어야겠다."

"지수가 입을 닦으며 말했다.

"솔직히 과학도 사회 수준으로 잠 온다니까."

우진이가 말했다,

"맞아 둘 다 잠와 죽겠어."

채영이가 격하게 공감했다.

"다들 다 먹은 거 같으니까 이제 갈까?"

내가 말했다.

"그래 가자."

우진이가 대답했다.

반에 와서 이야기를 마저 했다.

"아 맞다 나 요즘 드라마 정주행 하는데..."

"뭐 보는데?"

채영이의 말을 지수가 끊고 질문했다.

"아, '빈센조' 보고 있어."

"아, 그거 송중기 나오는 거?"

"응응 오랜만에 생각나서 봤는데 또 봐도 재밌더라고."

"맞아. 송중기 액션 신도 존나 섹시했어."

지수가 채영이의 어깨를 툭 치며 말했다.

"난 잔인한 거는 잘 못 봐서 도중에 하차했어."

우진이가 말했다.

"이우진 생각 외로 여리네."

지수가 웃으며 말했다.

"보기엔 이래도 마음은 여려."

내가 덧붙였다.

"하, 참나."

우진이가 어이없다는 듯 말했다.

"난 '미스터 션샤인' 방학 때 정주행 끝냈는데 마지막
화 보고 1시간 반 동안 울었어."

내가 이야기를 이어 갔다.

"나도 마지막 화 때 눈물 잠깐 났어."

채영이가 말했다.

"역시 J답네."

우진이가 말했다.

"그거는 진짜 슬프거든. 너도 보면 울 걸?"

내가 말했다.

"예지 너는 드라마 안 봐?"

지수가 말했다.

"아, 난 잘 안 봐."

"넌 인생 무슨 재미로 사냐."

채영이가 언짢다는 듯 말했다.

"그냥 그림 그리고 게임하고.. 세븐틴 덕질?"

"그래, 맨날 DM으로 뭐하냐고 물어볼 때 대답하는 것들이네."

지수가 말했다.

"우리, 중간고사 끝나고 같이 야구장이나 갈까? 마침 시험 마지막 날 엘지랑 기아전이야."

"좋지."

나도 "

채영이와 지수가 바로 대답했다.

"예지 너도 같이 가자."

"그래."

"이우진 너도 키움 유니폼 입고 그냥 와."

"아 쪽팔리는데."

"내가 더 쪽팔려, 기아 유니폼 입고 엘지 응원석 어떻게 있어."

"넌 그런 거 신경 안 쓰잖아."

지수가 말했다.

"하긴 내가 남 시선 신경 잘 안 써."

"서준호 네가 좀 본받아야 할 게 생겼네."

"그러게. 내가 남 눈치를 진짜 많이 보거든."

"그래 보여."

채영이가 말했다.

"우리랑 얘기하기 처음부터 예지 눈치 보고 있는 게 다 보이거든."

순간의 정적이 흘렀지만 내가 정적을 깨고 말했다.

"너무 말을 안 해서 그래."

"우리는 익숙해서. 낯가림 심하거든. 예지."

점심시간 종이 쳤고 다들 자리로 돌아갔다.

지루했던 과학 시간이 끝나고 다시 모였다.

"프린트 필기 한 거 좀 보여줄 수 있어?"

지수가 나에게 물었다.

"여기."

"땡큐. 책 보는 척 앉아서 자니까 모르더라고."

"모르는 게 아니라 아는데 안 잡는 거야."

우진이가 말했다.

"모르는 거 맞다니까."

"이우진 말이 맞아. 나이도 좀 있는데 다 알고 안 잡는 거지."

채영이가 말했다.

"음.. 우리 전번 교환이나 좀 할까?"

내가 갑작스럽게 말했다.

"오올, 서준호 그세 많이 늘었다? 전번도 바로 딸려고 하네."

"그래, 뭐 휴대폰 다 돌려."

채영이가 곧바로 대답했다.

"뭐야, 이렇게 쉽게 주네."

우진이가 슬쩍 말했다.

"인스타 맞팔도 좀 해줘."

지수가 말했다.

"이우진 사진 잘 찍는다. 감성 제대로네."

채영이가 감탄했다.

"그니까. 얼굴 포샵도 좀 했고"

지수가 사진을 확대하면서 말했다.

"야, 그 말은 굳이 안 해도 되잖아."

우진이가 대꾸했다.

"와 근데 남예지 셀카 하나밖에 안 올렸는데 팔로워 800명 넘었네."

"예지가 그냥 예쁜 게 아니라 뭔가 남들이랑 다르게 평범하지 않아서 그런 듯?"

지수가 말했다.

"아니거든."

예지가 말했다.

어제 같이 게임 하면서 인스타 아이디도 물어봐서 셀카도 이미 봤지만 다시 봐도 예뻤다. 물론 실물이 훨씬 예쁘다.

"서준호 있지 좋아해?"

지수가 말했다.

"응, 이번 여름에 컴백만 기다리고 있어."

"나도 'JYP' 여돌(여자 아이돌)은 잘되면 좋겠어."

채영이가 말했다.

"난 뉴진스."

우진이가 말하고,

"난 에스파."

지수가 연달아 말했다.

"난 세븐틴."

예지도 말했다.

"뭐야 나 빼고 다 말했네."

채영이가 말했다.

"난 NCT."

"5명 다 하나도 안 겹치고 다 다르네."

우진이가 신기 하다는 듯 말했다.

"그래서 얘기 하는 게 더 재밌는 거지. 다 다르니까."

내가 말했다.

"우리 인스타 단톡 만들래?"

지수가 말했다.

"좋아."

내가 말했다. 나머지 애들도 다 동의했다.

"음.. 톡방 이름 뭘로 하지?"

"그냥 1학년 10반으로 해."

우진이가 말했다.

"너무 시시하잖아."

지수가 말했다.

"아직 우리끼리 다 알진 못하니까.."

채영이가 말하는 사이, 지수가 말했다.

"아, 몰라 그냥 '고양이들'로 할게."

"웬 고양이?"

예지가 물었다.

"그냥, 내가 제일 좋아하는 동물이라서."

지수가 말했다.

"우리 셋 다 고양이 상이기도 하고."

채영이가 웃으며 말했다.

"그러게, 신기하다."

내가 말했다.

"역시 끼리끼리 노네."

우진이도 덧붙였다.

"쟤는 왜 말투가 사람 까는 말투 같냐."

채영이가 투덜댔다.

"원래 저래. 네가 이해해줘. 자기가 좋을 때나 남 생각에 동의할 때.. 아악!"

내가 말하는 와중에 우진이가 내 등짝을 때렸다. 모두들 웃었다. 예지가 웃었으니 그걸로 됐다.

학교 다닌 지 얼마나 됐다고 벌써 여러 친구가 생겼다. 역시 공학 오길 잘했다.

7교시까지 모두 끝나고 집에 갈 준비를 했다.

"서준호."

지수가 불렀다.

"어디 살아?"

"아, 저기 롯데 캐슬."

"음."

"넌?"

"난 청담아이파크."

"한강 뷰 보이는 거기?"

"응 맞아. 혹시나 가는 길 비슷할까봐 물어본 거야."

"지수네 집 부자야. 지방에 건물도 있대."

채영이가 가방을 매면서 말했다.

"야, 그런 걸 왜 말해."

"와, 대박이다."

"그러면 공부 안 해도 되는 거 아니야? 부모님 재산 좀 받으면 되는데."

멀리서 우리 이야기를 듣고 온 우진이가 말했다.

"다 그렇게 생각하는데 마음대로 안 되지."

"하긴 잘 사는 애들 보면 평일 주말 할 거 없이 학원 뺑뺑이더라고."

채영이가 안타까운 듯 말했다.

"대한민국, 그것도 서울에서 태어났으니까 운명이다.~ 하고 받아들어야지."

우진이가 말했다.

"뭐야, 우리 영어 학원 쌤도 그 얘기 했는데."

지수가 말했다.

"톤이랑 말투도 똑같아."

"나 영어학원 안 다니고 과외하는데."

우진이가 슬쩍 웃으며 말했다.

"아, 그래?"

지수가 멋쩍은 듯 이야기 했다.

"다들 오자 안 해?"

내가 물었고 다들 안 한다고 한다.

"그러면 어서 가자. 매점에서 뭐라도 사줄게."

"오올. 서준호 웬일이래."

우진이가 말했다.

"웬일은 무슨. 작년에 너한테 쓴 돈이 얼만데."

내가 받아쳤다.

"빨리 가자!"

채영이가 먼저 앞장서서 갔다.

신발을 갈아 신으려고 나올 때 예지가 걸어오고 있었
다.

"예지 어디 갔다 왔어?"

"아, 미술쌤 한테 미술 전공 한다고 알려드리러 갔어.
알고 있으면 좋을 거 같아서."

"아. 우리 편의점 가는데 같이 갈래? 서준호가 사준
데."

"음.. 알았어. 가자."

예지도 같이 껴서 매점에 들어갔다. 생각보다 애들이
많이 샀다. 삼각 김밥부터 시작해서 음료수나 과자, 새
로 나온 빵이랑 이런저런 젤리들... 2만 5000원이 깨
졌다.

그래도 난 받는 거 보다는 주는 게 훨씬 낫다.

"고마워, 잘 먹을게."

제일 많이 산 채영이가 말했다.

"너 너무 많이 산 거 아니야?"

지수가 웃으면서 말했다.

"괜찮아, 다음에는 내가 사지 뭐."

채영이가 말했다.

"땡큐."

우진이가 내 어깨에 손을 슬쩍 올리고 말했다.

"고마워."

예지가 말했다.

"응응 그래. 자 이제 각자 가자고."

내가 웃으면서 말했다. 정확히 말하자면 예지 덕분이다. 무표정으로 고맙다고 말하는 게 얼마나 귀엽던지. 어쨌든 다들 그렇게 학원이나 집으로 향했다. 오늘 새 친구들을 사귀었지만 뭔가 평생 갈 거 같은 친구들은 둔 거 같아 기준이 좋았다. 학원을 가는 길이였지만 가벼운 발걸음으로 향했다.

chapter 4
-오늘부터 1일?-

학교 간 지 한 달 쯤 되었다. 갑자기 3일 차에서 한
달로 뛰어갔냐는 질문이 많을 거 같아서 말한다.

솔직히 말하면 늘 일상이 반복되었다. 학교,학원,집,학교,
학원,집... 늘 같은 생활 패턴이였다. 물론 주말에는 친구
들과 시내에 가서 놀거나 집 근처에서 만나서 밥을 먹
기도 했다.

하지만 별로 재미있는 에피소드는 없어서 이렇게 한 달을
뛰어넘었다.

아, 물론 예지와는 조금 더 친해졌다! 그 에피소드를 좀
풀어보려고 한다.

우리 반은 한 달 주기로 짝을 바꾸기로 했다. 랜덤으로
돌려서 짝을 정했는데 예지가 내 뒷자리에 배정 받았다.

내 옆자리였으면 진짜 좋겠지만 이것도 얼마나 행운인가.
내 옆자리는 민지였다. 조용하고 말 수도 적다. 우리 반에서
는 딱히 친구가 없는 듯하다. 저번에 하굣길에서는 여러 친

구들과 가는 걸 봤다. 뭔가 나랑 성격도 비슷한 거 같아서 마음은 놓인다.

아무튼 그렇게 4월이 되었다. 참, 예지 옆에 앉은 놈은... 아니, 앉은 친구는 최정인이였다. 뭐 그런저런 평범한 애였다. 조용하지도 않고 그렇다고 시끄러운건 또 아니다. 하지만 내 얼굴이 한 수 위다...! 그럼 된 거 아닌가. 미안하다. 갑자기 급발진을 해버렸다.

어쨌든 그렇게 4월을 시작했다. 4월은 중간고사가 있는 달이기도 해서 오히려 3월보다 애들이 더 차분해졌다. 3월 말 우리 반이 정말 시끄러웠다, 다들 E성향인 애들 밖에 없나?

그런데 또 시험이 오니까 다시 3월 초 모드로 돌아갔다. 부모님 반대에도 무릎 쓰고 여기 왔는데 성적이라도 잘 받아 가야한다. 4월 첫날은 정말 잠이 오는 사회시간 이였다. 잠깐 졸았지만 그래도 필기 할 거는 다 했다. 쉬는 시간에 애들과 모였다.

여기서 새로 사귄 친구가 있는데 이민호라고 성격이 쾌활하고 활발한 남자애다. 아마 국어 시간 이였나? 그때 모둠을 만들어서 발표를 하는 수업이 있었는데 국어 쌤이 짜준 모둠에 민호가 있었다. 그렇게 해서 같이 발표 준비를 하면서 나랑 제일 합이 잘 맞아서 친해졌다.

"아 진짜 피곤하다."

민호가 기지개를 피며 말했다.

"나도, 사회 때 진짜 어떻게 버티지."

지수가 말했다.

"신채영 잘 자더라."

우진이가 채영이를 보여 말했다.

"응? 아, 봤어?"

채영이가 멍하게 있다가 웃으면서 말했다.

"엎어져서 아주 잘 자더라."

우진이가 말했다.

"다음 수업 뭐지?"

예지가 사물함 쪽으로 가며 말했다.

"다음 담임 시간."

지수가 말했다.

"남예지는 자면 되겠네."

민호가 말했다.

"맞지. 어짜피 마대는 서울대 아니면 수학 거의 안 보니까."

지수가 부러운 듯 말했다.

"그래도 예지 요즘 잘 안자."

내가 말했다.

"오~ 서준호 남예지 실드 쳐 주는거?"

우진이가 킥킥대며 말했다.

"아니, 그냥 그렇다고."

내가 얼버 부렸다.

순조롭게 수학 수업을 하던 도중 담임 쌤이 갑자기 예지에게 문제 답을 말하라고 했다. 수학을 안 하는 예지는 당연히 머뭇거렸고 그때 내가 아주 작게 답을 말해서 위기를 넘겼다.

예지도 I성향이라서 남들에게 주목 받는게 싫을거다.

그렇게 수업이 끝나고 예지가 수학책을 다시 사물함에 넣으러 가면서 나에게 말했다.

"아까 고마웠어."

"아, 천만에, 담임은 너 미술 하는거 알면서 갑자기 왜 시킨거야."

내가 약간의 짜증을 섞어서 말했다.

"그러게. 아무튼 앞으로 수학 시간에 좀 도와줘."

예지가 웃으면서 말했다.

"그래."

내가 자동으로 웃으면서 말했다.

"뭐야, 뭔 얘기 하길래 둘이 그렇게 웃어?"

지수가 우리 둘을 번갈아 쳐다 보며 말했다.

"아니야. 그런게 있어."

내가 말했다.

"야, 그렇게 말하면 어떡해."

예지가 눈을 크게 뜨고 말했다.

"예지 내꺼니까 건들지 마."

지수가 말했다. 진심인지 장난인지 구분이 되지 않는 말투였다. 그리고 영어시간에는 앞 뒤 사람끼리 모여서

활동을 했는데 예지 덕분에 수월하게 했다.

"너 영어는 진짜 잘한다."

내가 감탄했다.

"수학 안 하는 대신에 영어에 올인해서 그래."

예지가 말했다.

영어 시간이 끝나고 쉬는 시간에 지수가 다시 찾아왔다.

"너네 갑자기 왜 이렇게 친해졌어?"

지수가 물었다.

"원래 게임할 때도 이렇게 이야기해. 맞지?"

내가 예지에게 물었다.

"그래, 이제 좀 익숙해져서 이렇게 얘기 하는 거야."

예지가 대답했다.

"왜, 질투나?"

내가 장난스럽게 물었다.

"아니, 그냥 너네 잘 지내는 거 보기 괜찮아서."

지수가 웃으면서 말했다.

"뭐야, 질투 아니었어?"

예지가 약간 실망한 듯 물었다.

"응?"

내가 당황했다.

"왜, 질투해줘?"

지수가 다시 웃으며 말했다.

"아니. 그냥 해본거야."

예지가 작게 말했다.

"뭐야, 이런 모습 처음 보는데."

지수도 당황한 모양이다.

그렇게 4교시까지 끝나고 점심시간이 되었다.

유독 점심시간 이야기가 자주 나오는데 이 때가 시간이 제일 많고 그 만큼 이야기도 많이 해서 기억에 가장 많이 남는다.

"이제 시험 3주 남았네."

지수가 휴대폰을 키며 말했다.

"3주나 남았잖아. 아직은 좀 놀아도 돼."

민호가 말했다.

"그래, 아직은 좀 쉬어가면서 해."

내가 말했다.

"다들 지수 견제하느라 바쁘네."

채영이가 살짝 웃으며 말했다.

지수는 공부를 되게 잘한다. 아마 우리 반에서 3등 안에는 무조건 들 거라고 다들 예상하고 있다.

"아니거든."

내가 말했다.

"아니라고는 말 못하지."

민호가 말했다.

그 사이 급식실로 갈 시간이 됐다.

"오늘 왜 이렇게 빨리 먹어?"

채영이가 물었다.

"4월부터 뒷 반부터 먹는다고 순서 바뀌었어."

민호가 대답했다.

"아, 그래?"

채영이가 말했다.

"넌 자서 못 들었겠지."

우진이가 말했다.

"오늘 잠이 왜 이렇게 오는지."

채영이가 말했다.

"넌 항상 잘 자잖아."

예지가 말했다.

"하긴 그렇지 뭐."

채영이가 인정했다.

"오늘 밥 뭐냐. 좀 별론데."

민호가 식단표를 보며 말했다.

"그러게. 어제 점심이 너무 맛있어서 그런가."

지수가 말했다.

"뭘 풀 밖에 없어."

우진이가 말했다.

"샐러드는 이제 보기도 싫어."

채영이가 식판을 집으면서 말했다.

"하긴 몇 달 동안 저녁으로 먹었으니까 그럴 만도 하겠다."

지수가 말했다.

모두 테이블에 앉았지만 좋아하는 음식이 없어서 그런지 애들 전부 깨작거리며 먹었다.

"다음 교시 뭐야?"

채영이가 물었다.

"음악."

우진이가 대답했다

"음악 수행이잖아!"

채영이가 놀라며 말했다.

"응."

예지가 말했다.

"완전 까먹고 있었어."

채영이가 말했다.

"다들 악기 뭐 할 거야?"

민호가 물었다.

"난 플루트."

지수가 말했다.

"피아노."

우진이가 말했다.

"어, 나도 피아노인데."

내가 말했다.

"난 바이올린."

예지가 말했다.

"너랑 잘 어울릴 거 같아."

내가 말했다.

"난 기타."

민호가 기타 치는 시늉을 하며 말했다.

"전혀 기대 안된다."

우진이가 말했다.

"난 뭐 해야 돼지.."

채영이가 말했다.

"그냥 음악실에 남는 악기 아무거나 해."

민호가 말했다.

"그래야겠다."

채영이가 말했다.

"뭐 할 수 있는데?"

"음... 리코더, 플루트, 피아노?"

"뭐야, 걱정할 필요 없네."

내가 말했다.

"그렇긴 한데 무슨 곡을 해야 할지 모르겠어서."

"지금 찾아봐."

지수가 말했다.

"그럴려고."

채영이가 대답했다.

교실에 오자마자 애들이 악기를 챙기느라 분주했다.

예지가 바이올린을 소리가 잘 나는지 테스트하고 있었다.

내가 말없이 쳐다보고 있자, 예지가 갑자기 웃음이 터졌다.

"뭐야, 왜 그렇게 보고 있어."

예지가 웃으면서 말했다.

"아, 그냥 멋있어서."

내가 말했다.

"역시 내 생각이 맞았어. 잘 어울린다."

내가 웃으면서 말했다.

"너네 들 또 뭐하길래 그렇게 웃고 계실까?"

지수가 찾아와서 말했다.

"아, 뭐야 놀랬잖아."

내가 말했다.

"예지가 질투 해 달라 해서."

지수가 살짝 웃으며 말했다.

"야, 너네 들 뭐해. 어서 가자."

채영이가 우리를 불렀다.

음악실에 도착해서 곧바로 수행평가를 했다. 출석 번호 1번이랑 맨 뒷번 25번이 가위 바위 보 로 순서를 정했는데 맨 뒷번 애가 져서 남자 애들부터 시작했다. 다들 그럭저럭 수행평가를 하고 있던 중 먼저 민호 차례가 왔다. 부를 곡은 경서의 '나의 X에게'였다. 속으로 쟤가 저 노래를 할 수 있을까 라는 생각을 계속 했는데 생각보다 되게 잘했다.

그 다음이 바로 우진이 차례였기에 민호가 더 열심히 했을지도 모른다. 우진이는 히사이시 조의 '인생의 회전목마'를 연주했다. 이미 '하울의 움직이는 성'으로 많이 알려져 있는 곡이라 반 애들도 집중해서 봤다. 성공적으로 마쳐서 같은 피아노인 나도 부담감이 더 올라갔다.

곧 내 차례가 왔고 떨리는 마음으로 IVE(아이브)의 'After Like'를 연주했다. 원래는 우진이처럼 히사이시 조의 곡을 하려고 했으나 겹치면 재미없을 거 같아서 곡을 바꿨다. 역시 너무나도 유명한 곡이라 애들 반응도 좋고 잘 마무리 한 거 같다. 지수는 플루트로 'A Whole new worrld'를 연주했다. 역시 기대에 부응하는 연주를 했다.

채영이는 음악실에 남는 리코더로 히사이시 조의 '언제나 몇 번이라도'를 연주했다. 생각 외로 너무 잘해서 반 애들이 다 놀랐다. 하긴 악기도 안 가져왔으니 당연히 대충 할 거라는 예상을 완전 깨버렸으니. 몇 차례가 지나니 예지 순서가 왔다. 저렇게 얇은 팔로 바이올린을 들고 있는 모습이 뭔가 어색했다. 저걸 들고 연주를 할 수 있을까 라는 생각도 했다.

예지는 베토벤의 바이올린 소나타 '봄'을 연주했다. 정말 유명한 곡이라고 하는데. 나는 바이올린 연주를 거의 들어본 적이 없어서 무슨 곡인지 몰랐다. 하지만 정말 듣기 좋았고, 그 곡을 연주하는 예지의 모습은 말로 표현할 수 없을 만큼 예쁘고 아름다웠다. 그 모습이 아직도 머리에 기억에 남는다. 평생 잊지 못할 추억인 것 같다. 그렇게 눈과 귀가 모두 즐거웠던 음악 수행평가를 마치고 반으로 돌아갔다.

"야, 너네들 너무 빡세게 준비한 거 아니야? 음악쌤이 웬만하면 'A' 주신다 했잖아."

민호가 말했다.

"너도 연습 엄청 많이 했으면서."

지수가 말했다.

"사실 맞긴해. 애들 앞에서 하는데 틀리면 안 되니까."

민호가 말했다.

"난 예지가 했던 곡이 제일 기억나. 진짜 너무 좋았어."

내가 말했다.

"엥, 서준호 너 예지한테 갑자기 성 빼고 말한다?"

지수가 말했다.

"오, 스윗하네."

우진이가 옆에서 조용히 말했다.

"말투 뭐야. 스윗하네 이 지랄."

채영이가 웃으면서 말했다. 한동안 계속 웃었다. 우진이의 말투가 그렇게나 웃겼나 보다.

"근데 요즘 둘이 잘 어울리긴 해."

민호가 말했다.

"맞아. 이제 꽤 친해졌나봐? 게임 할 때 만 얘기 한다더만."

웃음을 겨우 멈춘 채영이가 말했다.

"응 이제 말 좀 트였어."

내가 말했고 예지도 고개를 끄덕였다.

그렇게 7교시까지 모두 끝이 나고 하교 준비를 했다. 마침 새로 다니는 국어 학원이 예지가 다니는 미술 학원 근처라서 같이 가기로 했다.

"헐. 뭐야. 둘이 같이 가?"

지수가 우리를 보며 말했다.

"응. 학원가는 길이 같아서."

"아, 그래? 이러다가 예지 너한테 뺏기겠다."

지수가 웃으면서 말했다.

교실에서 나와서 버스 정류장으로 가던 도중에 민규를 만났다.

"어? 야 서준호!"

민규가 나를 먼저 보고 손을 흔들었다. 나도 웃으면서 손을 흔들었다. 민규가 많은 인파들을 뚫으면서 내가 있는 쪽으로 왔다.

"하이. 어? 얘는.."

민규가 예지를 보며 말했다.

"아, 맞아. 예지."

내가 말했다.

"아, 안녕. 난 김민규라고 해. 준호 친구야."

민규가 말했다.

"안녕."

예지가 인사를 받아줬다.

"나랑 6년 지기 친구야."

내가 말했다.

"아,안녕."

예지가 인사했다.

"이름이 뭐였지? 남.."

민규가 말했다.

"예지"

예지가 말했다.

"아, 그래. 준호가 너 많이 좋아하더라. 톡방에서 매일 지랄을해서."

민규가 말했다.

"야! 그걸 그렇게 말하면 어떡해."

내가 당황하며 말했다. 민규의 말을 듣고 예지가 약간의 미소를 보였다.

"어, 버스왔다. 나 먼저간다."

민규가 카드를 꺼내며 버스 쪽으로 걸어갔다.

"어, 그래."

가는 민규를 향해 내가 인사했다.

"미안, 쟤가 좀 많이 떠들어."

"음. 그건 괜찮은데, 너.."

예지가 말을 하다 도중에 멈췄고 약간의 정적이 흘렀다. 그리고 예지가 입을 열었다.

"나 좋아해?"

"어.."

내가 머뭇거렸다.

"사귈래?"

내가 머뭇거리는 사이 예지가 말했다.

"뭐, 뭐?!"

내가 놀라서 크게 말해버렸다.

"아, 사람들 쳐다보잖아."

예지가 투덜거렸다.

"솔직히 처음 봤을 때부터 뭐랄까. 귀여웠어. 내 이상
형은 아닌데 뭔가 계속 끌리는 느낌? 뭔지 알려나."

나는 당황해서 입을 꾹 닫고 듣고만 있었다.

"그래서 사귈거야, 말거야?"

"사.. 사귀자."

내가 얼굴이 벌게진 채로 말했다.

"그래, 야, 너 얼굴 진짜 빨개졌어."

예지가 웃으면서 말했다.

그리고 학원가에 거의 도착해서 서로 헤어졌다. 뭔가 좋
은데 이상한 기분이 들고 말로 표현할 수 없는 느낌을 안고
국어 학원으로 향했다.

'미쳤다. 미쳤어.'

chapter 5

-봄-

-와 미친 미친

-동규 ?

-우진 왜

-나 예지랑 사귐

-동규 지랄

-예준 ???

 민규 와 ㅋㅋㅋ 미쳤다.

-민규 어제 나 보고 나서 사귐??

- ㅇㅇ

-우진 뭐냐

-예준 준호 모쏠 탈출 ㅊㅊ

-나 ㅋㅋㅋㅋ 고맙다

-동규 또 나만 남고야

-민규 ㅋㅋㅋㅋㅋㅋ

-예준 ㅌㅋㅋㅋㅌㅋㅋ

예지랑 사귀고 나서 대화한 인스타그램 단톡방이다. 국어 학원에서도 실감이 나지 않아서 수업에도 집중돼지 않았다. 사실 그때 기억이 아직도 잊혀 지지 않는다.

근데 예지랑 사귄 기간이 참 애매하다. 4월 중순 이었는데 중간고사가 거의 2주 남았을 때였다. 시험 공부도 해야되고 예지랑 연락도 해야 되는데 걱정이 앞섰지만 예지가 시험 기간일 때는 자기도 연락을 잘 못한다고 하면서 부담을 덜어 주었다.

그리고 2주가 순식간에 지나갔다. 지금도 생각하지만 시험기간은 공부만 해도 시간이 정말 빨리 간다. 이 책을 읽고 있는 내 또래 친구들도 그렇게 생각하는지는 모르겠지만 나는 정말 빨리 간다고 생각한다.

시험 당일에는 알람을 일찍 맞추어서 학교에 거의 제일 먼저 갔다. 첫날에는 수학과 통합 사회를 쳤다. 수학 시험이 얼마나 어렵던지. 1번부터 어려운 문제를 내서 안 그래도 약한 내 멘탈을 아주 제대로 흔들었다. 그리고 솔직히 말하자면 예지 생각도 많이 나서 집중도 잘 안됐다.

하지만 예지는 수학 시험 때 아주 잘 갔다 하더라. 사회 시험때는 쉽게 문제를 풀어서 그나마 수학 시험을 만회했다. 그리고 저번에 친구들이랑 시험 다 치고 롯데월드에 가기로 해서 얼른 시험치고 놀 생각에 공부를 더 열심히 했다.

2일차에는 영어와 통합 과학을 쳤는데 정말 잘 쳤다. 지수랑 답을 맞춰 봤는데 거의 다 맞고 오히려 내가 더 많이 맞았다!

그리고 드디어 마지막 날 한국사 시험도 모두 끝내고 제출했던 휴대폰을 돌려받길 기다리면서 애들과 시험 얘기를 했다.

"서준호, 시험 잘 쳤냐."

민호가 내 자리에 와서 물었다.

"뭐 그럭저럭?"

내가 말했다.

"아니. 얘 이번에 되게 잘한 거 같아."

채영이가 고개를 저으며 말했다.

"뭐야, 준호 연막이었어?"

민호가 말했다.

"아니야."

내가 웃으면서 말했다.

"이지수가 나보다 더 잘쳤겠지."

내가 말했다.

"그런가."

민호가 나에게 말하고 곧장 지수 쪽으로 향했다. 조금 들어보니 그닥 잘 치진 않았다고 한다. 정말 이였다. 나중에

결과가 나왔을 때 나보다 성적이 낮았다. 물론 1학기 중간고사 이후로는 단 한 번도 나보다 낮았던 적이 없었다.

휴대폰을 받고 일단 우진이랑 같이 집에 가서 가방을 두고 옷도 사복으로 바꿔 입기로 했다.

"시험 잘 봄?"

내가 물었다.

"난 뭐 잘 봤지."

우진이가 당당하게 말했다.

"하긴 넌 중학교 때부터 공부 안하는 거처럼 보이던데 할 건 다하더라."

"그치. 학교에서는 거의 안하고 집이나 스카(스터디 카페)가서 하니까."

"그런 케이스가 제일 꼴 보기 싫어."

"나도 사실 그래. 근데 이렇게 하면 너처럼 속는 애들 많아서 재밌다?"

"사이코냐 진짜로."

어느새 얘기를 하다 보니 집에 도착했다. 가방을 풀고 최대한 잘 어울리는 옷을 고르기 위해 정말 고심했다. 내가 너무 오래 걸리자 우진이가 전화가 와서 그냥 내가 우리 집에 와서 옷 좀 골라달라고 했다. 우진이가 옷을 잘 입기 때문이다.

얼마 뒤 옷을 고르고 버스를 타고 롯데월드를 가기 전

에 밥부터 먹기로 해서 코엑스로 가기러 했다. 코엑스에서 애들을 다 만났다. 물론 민호가 버스를 놓쳐서 10분 정도 지각을 했다. 다들 점심도 안 먹어서 얼른 들어가 유명한 멕시코 음식점에서 타코와 다양한 멕시코 음식을 먹었다. 그리고 곧장 롯데월드로 향했다. 마침 롯데월드에 아빠 지인분이 계셔서 공짜 자유이용권 표도 몇 장 얻었다.

그런데 나는 무서운 놀이기구 피하는 편인데, 애들이 다 타자해서 나도 그냥 탔다

.특히 자이로드롭, 아트란티스, 후렌치 레볼루션을 탈때 나도 모르게 예지의 손을 꼭 잡아버렸다... 많이 부끄럽다. 의도치 않은 첫 스킨십이였는데 바로 옆에 있어서 잡은거다. 물론 옆에 우진이나 민호가 있었다면 잡지 않았을지도?

그렇게 시간 가는 줄 모르고 놀았다. 퍼레이드도 보고 인스타그램에 올릴 예쁜 사진들도 많이 찍었다. 9시쯤에 다들 나와서 토론을 했다.

"2차 고?"

민호가 애들을 보며 말했다.

"피곤한데."

지수가 말했다.

"나도 좀 피곤함."

우진아가 말했다.

"그냥 이쯤에서 헤어지자."

내가 말했다.

"아니, 애들이 다 공부만 해서 제대로 놀지를 못하네."

민호가 아쉽다는 목소리로 말했다.

"이우진, 예지랑 같이 가자."

내가 말했다.

"아, 나 아빠가 데리러 오신다 하셔서."

우진이가 말했다.

"아, 혹시 너네 어머니 차 말고 아버지 차 가지고 오셔?"

"어."

우진이 아버지 차는 포르쉐 박스터라서 최대 2인승이 정원이다. 어머니 차는 벤츠 E클래스라서 혹시나 해서 물어보았다.

뭐 오히려 좋다. 예지랑 단 둘이 버스를 타고 집으로 가면 된다. 예지 집이 내가 타는 버스를 타도 갈 수 있기 때문이다.

"오늘 재밌었어?"

내가 물었다.

"응. 완전 재밌었어,"

"다행이네."

"아 그리고 아틀란티스 탈 때 내 손 꽉 잡던데."

"아, 미안 사실 좀 무서워서 그랬어."

"아니, 뭐라하려는 건 아니고 그냥 귀여웠어서."

"우리 첫 스킨십 아닐까."

"스킨십이라 하기엔 너무 작지."

"이제 시험도 끝났으니까 데이트도 가고 우리끼리 시간 많이 보내자."

"이제 수행평가 준비해야 되잖아."

"아, 너 T야?"

"나 F야."

예지가 웃으면서 말했다.

"좋아해. 많이."

내가 말했다.

"나도 너 많이 좋아해."

예지가 말했다.

"사랑해."

제 1편 '봄' END